C000163601

DE FIESTA EN PRIMAVERA

DE FIESTA EN PRIMAVERA

- La calle se convierte en procesión
- La historia se hace teatro
- Nos vamos de romería

DIFUSIÓN

Centro de Investigación y Publicaciones de Idiomas
C/Trafalgar, 10, entlo. 1ª 08010 Barcelona
E-mail: editorial@difusion.com
www.difusion.com

Colección **"Venga a leer"**
Serie «Aires de fiesta»

Autores:
Josefina Fernández y Clara Villanueva

Diseño de la colección y cubierta:
Àngel Viola

Ilustración de la cubierta:
Jaume Cluet

Elaboración de ejercicios:
María José Gelabert

© DIFUSIÓN, S.L.
   Barcelona, 1995

5ª edición, 2006

ISBN-10: 84-87099-97-1
ISBN-13: 978-84-87099-97-7
Depósito Legal: M-13582-1995
Impreso en España por Torres i Associats, S. L.

LA CALLE SE CONVIERTE EN PROCESIÓN

La Semana Santa

En Teruel los tambores redoblan (1) en las calles desde el alba hasta el anochecer. En Sevilla, penitentes (2) encapuchados (3) caminan descalzos detrás de una imagen religiosa. En Murcia, los carros de Cleopatra recorren las calles. En siete largos días, Amy Randall recorre España para recoger lo mejor de la Semana Santa.

En toda España se celebra la Semana Santa, para recordar la Pasión y la Muerte de Jesús; sin embargo en cada lugar las celebraciones tienen un carácter peculiar. En el Levante son barrocas y exuberantes; en el Sur solemnes y emotivas; en el Centro más profundas y sencillas.

Es casi imposible abarcar tanta variedad de actos y de tradiciones. A pesar de que me gustaría verlas todas, tengo que elegir. Pero de todas maneras, España es un país tan grande que no tengo más remedio (4) que prepararme para pasar una semana viajando de un sitio a otro.

Los actos más importantes de estas fiestas son las procesiones, desfiles en los que las imágenes religiosas salen de las iglesias y recorren las calles a hombros de los costaleros (5), acompañadas de las bandas de música y de los miembros de las cofradías (6). La gente desfila llevando velas encendidas detrás de cada imagen. Algunos van descalzos. Los miembros de las cofradías visten con túnicas (7) y capas largas hasta los pies. Cubren su rostro con una caperuza (8) con dos agujeros para los ojos. Su aspecto es misterioso. En algunas ciudades y pueblos, salen personajes bíblicos que representan escenas de la vida de Jesús.

Mi recorrido empieza en Elche el domingo de Ramos con la Procesión de las Palmas, que conmemora la entrada de Jesús en Jerusalén. Esta ciudad de Alicante es famosa por sus palmerales (9), los más grandes de Europa, que recuerdan a los paisajes orientales. Quizás son también los más antiguos, pues se cree que fueron plantados por los fenicios (10).

Llego el domingo por la mañana, justo a tiempo de ver la procesión, que es muy espectacular porque junto a las imágenes tradicionales, la gente lleva figuras originales hechas con las hojas de las palmas, trenzadas (11) y adornadas, que son un ejemplo de la artesanía de la ciudad.

De Elche salgo para Andalucía. Mi primera parada es Granada. El miércoles Santo por la noche sigo la Procesión de los Gitanos, que recorre las calles de los barrios típicos del Albaycín y del Sacromonte. Durante todo el recorrido, los gitanos cantan a la imagen del Cristo hermosas canciones de ritmo flamenco, las saetas. Estas canciones, muchas veces improvisadas, llenas de sentimiento y emoción, se cantan en medio de un gran silencio.

Con la emoción de las saetas todavía en la cabeza, salgo el jueves Santo para Málaga, en la Costa del Sol para asistir a una procesión muy particular y emotiva. En ella camina un hombre que hasta ayer estaba en prisión. Siguiendo una tradición muy antigua, todos los años, en jueves Santo se libera a un preso de la cárcel. El elegido marcha en la procesión, vestido de Nazareno (12), para dar gracias por su suerte.

Estoy a varias horas de Sevilla y tengo que hacer un gran esfuerzo para no ir hasta allí. La Semana Santa de Sevilla es, sin duda, la más famosa de todas. La ciudad entera se adorna para ser el escenario de las procesiones más majestuosas (13). Los costaleros, practican durante todo el año para llevar las imágenes sobre sus hombros, por las calles estrechas del centro de la ciudad, con difíciles maniobras de equilibrio y coordinación. Gracias a ellos las imágenes parecen bailar en las procesiones, seguidas de miles de personas. Pero desgraciadamente no tengo tiempo de verlo todo y he decidido ir a ver celebraciones menos conocidas pero no menos interesantes.

Mi siguiente destino está a más de 700 kilómetros. Primero en avión, hasta Zaragoza, y después en autobús, me dirijo a Calanda, en la provincia de Teruel. Llego el viernes Santo por la noche con el tiempo justo de escuchar las Tamboradas, que se celebran un muchos pueblos de esa zona. Desde el jueves, los vecinos tocan el tambor, todos al mismo tiempo. Hombres y mujeres tocan hasta el agotamiento (14), durante dos días sin parar, a veces hasta que los tambores se manchan con la sangre de sus dedos. El sonido monótono y persistente no se detiene y casi todos los tambores están manchados de rojo.

De Calanda vuelvo en autobús al Levante, a la ciudad de Orihuela en la provincia de Alicante. En la procesión del sábado Santo, en medio de pasos (15) creados por artistas de los siglos XVII y XVIII, va la Diablesa. Es una escultura insólita que representa a una mujer diablo desnuda que tiene sobre su cuerpo una gran bola del mundo. Durante el resto del año se guarda en un museo porque ninguna iglesia quiere guardar la imagen de un diablo.

Desgraciadamente no puedo incluir en mi ruta otros actos tradicionales de la Semana Santa como las representaciones de la Pasión y Muerte de Cristo. Pueblos enteros actúan en obras de teatro llenas de realismo. En Lorca, en la provincia de Murcia, hay un espectacular desfile de personajes bíblicos con cuatro mil figurantes (16) y doscientos caballos tirando de carros romanos. Entre los carros de los reyes, desfila majestuoso el de Cleopatra.

El domingo por la mañana se celebra en todas partes la alegría de la Resurrección de Cristo. En el Cabañal, un barrio de Valencia, se representa el encuentro de la Virgen con su hijo resucitado. Salen dos procesiones por dos calles distintas, una con la imagen de la Virgen cubierta con un velo (17) y la otra con la de Cristo resucitado. En un punto determinado las dos imágenes se encuentran frente a frente. Entonces alguien le quita el velo y la gente aplaude y tira flores desde los balcones. Es un momento muy emotivo.

Con el domingo de Resurrección acaban las celebraciones de la Semana Santa. Para mí, es el fin de una semana agotadora pero muy rica en experiencias. Mi cámara y mi cabeza están llenas de escenas inolvidables de los antiguos, pero siempre vivos y fascinantes ritos de este país.

GLOSARIO

1.- redoblar: tocar el tambor con toques muy seguidos.

2.- penitente: persona que en las procesiones viste una ropa especial en señal de penitencia, de arrepentimiento.

3.- encapuchado: persona que lleva cubiertas la cabeza y la cara con una prenda de tela, que se llama capucha.

4.- no tener más remedio: tener que hacer algo por necesidad o por obligación.

5.- costalero: persona que en las procesiones forma parte del grupo que llevan a hombros las imágenes religiosas.

6.- cofradía: asociación de personas para un fin común. En este caso se trata de las asociaciones religiosas que preparan las procesiones, cuidan las imágenes, etc.

7.- túnica: vestido amplio que se lleva suelto o sujeto con un cinturón y que llega a veces hasta los pies.

8.- caperuza: gorro de tela que cubre la cabeza.

9.- palmeral: campo de palmeras.

10.- fenicio: pueblo antiguo que en el siglo VII a. C. tenía importantes colonias en lo que hoy es España.

11.- trenzada: con forma de trenza, es decir, con tres tiras entrelazadas.

12.- Nazareno: otro nombre que se le da a Jesucristo.

13.- majestuoso: grandioso.

14.- agotamiento: cansancio.

15.- pasos: imágenes religiosas que se sacan a la calle en Semana Santa o en otras fiestas.

16.- figurante: personaje de una obra de teatro que por lo general no habla ni actúa.

17.- velo: tela fina y transparente con la que las mujeres se cubren la cabeza y a veces la cara en las ceremonias religiosas.

A VER SI HAS ENTENDIDO

1.- ¿Puedes relacionar las informaciones de cada columna, según el texto?

Las procesiones en

Levante
el Sur
el Centro

son

profundas
barrocas
emotivas
exuberantes
sencillas
solemnes

2.- ¿Puedes marcar con una X las ciudades y pueblos que recorre Amy en Semana Santa?

☐ Sevilla   ☐ Zaragoza

☐ Cordoba   ☐ Orihuela

☐ Elche   ☐ Lorca

☐ Calanda   ☐ Granada

☐ Teruel   ☐ Málaga

☐ Alicante   ☐ Jaén

☐ Murcia   ☐ Valencia

3.- Ordena las frases según el texto.

☐ La gente desfila llevando velas encendidas detrás de cada imagen.

☐ Los miembros de las cofradías visten con túnicas (7) y capas largas hasta los pies.

☐ Los actos más importantes de estas fiestas son las procesiones,

☐ Su aspecto es misterioso.

☐ En algunas ciudades y pueblos, salen personajes bíblicos que representan escenas de la vida de Jesús.

☐ desfiles en los que las imágenes religiosas salen de las iglesias y recorren las calles a hombros de los costaleros (5),

☐ Algunos van descalzos.

☐ acompañadas de las bandas de música y de los miembros de las cofradías (6).

☐ Cubren su rostro con una caperuza (8) con dos agujeros para los ojos.

4.- Completa las frases , según el texto.

Mi recorrido empieza en ....

Elche es famosa por ....

En la procesión la gente lleva figuras originales hechas con...........

En Andalucía mi primera parada es ....

El miércoles Santo sigo la ....

La procesión recorre las calles de los ....

5.- ¿Por qué no defines las siguientes palabras?

la saeta: ....

el costalero: ....

la imagen: ....

el paso: ....

la Tamborada: ....

la Diablesa: ....

6.- ¿Sabes en qué lugar y cuándo se hacen estas procesiones o actos?

1.- La procesión de las Palmas
2.- La procesión de los Gitanos
3.- La procesión de Nazareno
4.- Las Tamboradas
5.- La procesión de la Diablesa

7.- ¿Verdadero o falso?

	V	F
En Semana Santa hay representaciones de la Pasión y Muerte de Cristo	☐	☐
En Lorca hay un desfile de romanos	☐	☐
En Valencia salen tres procesiones por calles distintas	☐	☐
En Valencia se representa, el domingo por la mañana, el encuentro de la Virgen con su hijo resucitado	☐	☐
Cleopatra no aparece en ninguna procesión	☐	☐

LA HISTORIA SE HACE TEATRO

Los Moros y Cristianos

Muchos alcoyanos (1) tienen un arma de fuego guardada en el armario. No son delincuentes violentos, ni cazadores habituales. Sin embargo, cada año, en abril, sacan sus armas y las limpian con cuidado para librar una batalla (2) feroz contra sus propios vecinos. Amy Randall presencia una guerra civil que se repite cada año con el mismo final.

Todos los años en abril, Alcoy, una ciudad de Alicante, representa una de las mayores y más espectaculares obras de teatro de calle del mundo. La vida cotidiana se detiene durante tres días, y un cuarto de la población se divide en dos ejércitos, que disfrazados con ropas medievales, desfilan (3) y luchan en batallas que conmemoran las que enfrentaron a los moros(4) y a los cristianos hace seis siglos. Las calles resuenan con el eco de los trabucos (5) y los arcabuces (6) y la música de las bandas.

Llegué a Alcoy el día antes de la fiesta, para entrevistar a Jorge Llorca, que es el Alférez, el jefe de los moros. Jorge es contable y nunca ha pensado ser actor ni trabajar en el teatro. Sin embargo, cuando llegan las fiestas de Alcoy, se convierte en jefe moro, para luchar bajo el estandarte (7) de la media luna, contra su jefe Antonio Beltrán, el director de la empresa, que se transforma en Capitán cristiano.

Es una ocasión que convierte a los vecinos en actores. De los 67.000 habitantes que tiene Alcoy, unos 15.000 se visten para la ocasión. Los panaderos se convierten en caballeros cristianos o jefes sarracenos (8), los farmacéuticos en soldados de exóticas tribus africanas, los funcionarios en soldados de a pie, aragoneses, castellanos e incluso en bandoleros (9). Los niños son pajes (10) y las jóvenes vestidas de princesas orientales parecen salidas de algún cuento de *Las Mil y Una Noches* .

Se considera un gran honor participar en la fiesta, que es el orgullo de Alcoy. Algunos de los personajes más importantes en la representación pasan de padres a hijos. Pero los trajes son muy caros. El Capitán cristiano y el Alférez moro lleva armaduras (11) decoradas con oro y plata.

La fiesta conmemora un ataque de los árabes en 1276, cuando la ciudad ya era cristiana. La leyenda dice que la batalla la ganaron los cristianos gracias a la intervención milagrosa de San Jorge.

Las celebraciones comienzan el día 22 de madrugada. Las campanas de las iglesias llaman a los vecinos a celebrar la misa. A las 6 de la mañana, empiezan los primeros desfiles. Es el día de las Entradas, en el que las tropas se exhiben ante el público.

Es un espectáculo que impresiona. Cada ejército está dividio en regimientos que se llaman *filaes* que llevan el mismo traje y que marchan juntos, al mismo paso, al ritmo de una música característica que recuerda la de algunas canciones árabes. Delante de cada *filà* va el capitán, blandiendo (12) la espada y saludando al público que no deja de aplaudir. Por la mañana entran los cristianos, simbolizando las tropas de defensa de la ciudad. Por la tarde les toca el turno a los moros, que llegan a atacar.

El segundo día está dedicado a la procesión religiosa. El tercero, el más espectacular, es el día de la gran batalla. La cruz y la media luna toman posesión de la ciudad. Por la mañana, los cristianos ocupan el castillo de madera y cartón piedra que se eleva en la plaza principal. Sus capitanes despliegan (13) los estandartes. Un embajador moro llega a caballo para pedirles que se rindan y les entrega un mensaje con las condiciones. Los cristianos lo destruyen. El embajador se da la vuelta y se aleja cabalgando muy rápido por la calle San Nicolás. Es la señal. ¡Comienza la batalla!

Los cristianos salen del castillo disparando sus magníficas armas talladas. Llevan la pólvora en unas bolsas de cuero colgadas de la cintura. El ruido es ensordecedor. Muchos de los combatientes llevan tapones en los oídos. Los espectadores se tapan los oídos con las manos. La escena es dramática. El cielo de la mañana se cubre de humo. La pólvora cae en las cunetas (14) y se enciende de manera espontánea. Entre tanto humo y tanto sobresalto me resulta difícil hacer fotografías.

Tras una vuelta por el centro de la ciudad, los cristianos se retiran hacia la plaza, seguidos de los soldados moros que disparan sus armas al unísono (15). Al acabar la mañana, los capitanes de los dos bandos luchan cuerpo a cuerpo con sus espadas. Ganan los moros y toman el castillo. La batalla se detiene..., y todo el mundo se va a comer.

Por la tarde, el espectáculo se repite a la inversa. Al final, los cristianos vuelven a tomar el castillo y San Jorge aparece triunfal en las murallas para coronar la fiesta, entre los aplausos y los cantos de la multitud.

Alguien me dijo que las representaciones de Alcoy tienen muy poco que ver con lo que realmente ocurrió en 1276 y sin duda tendrán razón. Pero, ¿a quién le importa? Durante tres días participantes y espectadores dejan atrás los problemas cotidianos y se dedican a pasarlo bien. El teatro sale a la calle. Es un espectáculo fascinante en el que los vecinos de una ciudad industrial se convierten en actores que no tienen nada que envidiar a las estrellas de Hollywood.

Jorge Llorca, se mira cada año al espejo, vestido de Alférez y dice que está más guapo que un galán de cine. Y tiene razón, tan alto, tan moreno, tan elegante y tan majestuoso. Durante tres días memorables se ha convertido en un héroe. Por eso, no le importa volver al trabajo el resto del año, porque sabe que el próximo abril lo será de nuevo. Y limpia con cuidado su arma y la guarda en el armario para sacarla otra vez el año que viene.

GLOSARIO

1.- alcoyanos: habitantes de Alcoy.

2.- librar una batalla: pelear, luchar en una batalla.

3.- desfilar: marchar en fila, unos junto a otros o unos delante de otros.

4.- moros: popularmente se llama así a los distintos pueblos árabes que desde el siglo VIII llegaron a la península Ibérica, que entonces estaba dividida en reinos cristianos. Los árabes consiguieron dominar casi toda la península. Después de ocho siglos con períodos de luchar y paz, los últimos árabes fueron expulsados en el siglo XV. Todavía se utiliza esta palabra para referirse a los árabes en general, pero se considera peyorativa.

5.- trabuco: arma de fuego antigua.

6.- arcabuz: arma de fuego antigua.

7.- estandarte: bandera.

8.- sarraceno: miembro de una tribu del norte de África.

9.- bandolero: ladrón que robaba a los viajeros en los caminos.

10.- paje: joven que servía a un noble.

11.- armadura: conjunto de armas de hierro que vestían a los soldados en las batallas.

12.- blandir: mover algo de una lado a otro.

13.- desplegar: desdoblar.

14.- cuneta: parte más baja a ambos lados del camino o de la carretera para recoger al agua de lluvia.

15.- al unísono: todos al mismo tiempo.

A VER SI HAS ENTENDIDO

1.- Contesta a estas preguntas:

¿Cuándo comienza la fiesta de Moros y Cristianos?
¿Qué conmemora la fiesta?
¿Qué dice la leyenda sobre el triunfo de los cristianos?
¿En qué provincia se encuentra Alcoy?
¿Cuántos habitantes tiene Alcoy?

2.- Relaciona las informaciones de cada columna.

Jorge Llorca ○	○ soldados de tribus aficanas
Antonio Beltrán ○	○ soldados de a pie
los panaderos ○	○ capitán cristiano
los farmacéuticos ○	○ princesas orientales
los funcionarios ○	○ caballeros cristianos
los niños ○	○ jeje moro
las niñas ○	○ pajes

3.- Completa la información, según el texto.

En la ciudad de Alcoy, todos los años en abril, la vida cotidiana. ......
La población se divide en ....
Luchan en batallas que conmemoran las que se...............................
Unos 15.000 habitantes..
Se considera un gran honor...
Algunos de los personajes más importantes en la representación...

4.- Ordena las informaciones, según el texto.

☐ A las seis de la mañana empiezan los primeros desfiles.

☐ Las campanas de la iglesia llaman a los vecinos a celebrar la misa.

☐ Es el día de las Entradas, en que las tropas se exhiben ante el público.

☐ Las celebraciones comienzan el día 22 de madrugada.

5.- ¿Puedes decir cuáles de estas informaciones son correctas?

- El segundo día es el más espectacular porque es el día de la gran batalla.
- Cada ejército está dividido en regimientos que llevan el mismo traje y que marchan juntos, al mismo paso, al ritmo de una música.
- Los cristianos salen del castillo disparando sus armas y llevan una bolsa de cuero llena de pólvora.
- El cielo se mantiene limpio y claro toda la mañana.
- Los moros simbolizan las tropas de defensa de la ciudad.
- El embajador moro se aleja cabalgando rápidamente por la calle de San Nicolás. Es la señal de que la batalla comienza.

6.- Di a qué día de fiestas pertenecen estas informaciones.

	1.er día	2.º día	3.er día
Los ejércitos desfilan ante el público			
El embajador moro entrega un mensaje			
Delante de cada *filá* va el capitán			
Procesión religiosa			
Los capitanes despliegan los estandartes			
Los capitanes luchan cuerpo a cuerpo			
San Jorge aparece triunfal			
Por la tarde desfilan los moros			

7.- ¿Verdadero o falso?

	V	F
Durante los días de fiestas los habitantes trabajan normalmente	☐	☐
Jorge Llorca se encuentra guapo vestido de Alférez	☐	☐
Limpian las armas y las guardan hasta el próximo año	☐	☐
Vienen actores a la ciudad para las representaciones	☐	☐
El espectáculo es fascinante	☐	☐

NOS VAMOS DE ROMERÍA

El Rocío

En la pequeña iglesia no cabe un alfiler (1). Es de noche y hace calor. Amy Randall está entre los peregrinos (2) que han pasado varios días casi sin dormir para llegar hasta allí. Están agotados, pero expectantes. La tensión aumenta y se acerca el momento que todos esperan...

En pleno siglo XX, cuando casi todo el mundo tiene prisa por llegar a cualquier parte, miles de personas de Andalucía empiezan un lento viaje que durará varios días. Se dirigen a la pequeña aldea de El Rocío, junto al Coto de Doñana, una de las reservas naturales más bellas de Europa.

Había oído hablar muchas veces del Rocío y estaba dispuesta a ir a la primera oportunidad. No imaginaba que un viaje a pie y en carreta pudiera ser tan fascinante.

Todo empezó para mí en Algodonales, en la provincia de Cádiz, a mediados de mayo, cuando invitada por Carlos Román, miembro de la Hermandad Rociera (3) del pueblo, me fui a Andalucía a hacer el camino. Así llaman allí ir a una romería, que es un viaje a pie, a caballo o en carreta a un santuario o a una ermita (4). Los que hacen el camino se llaman romeros.

Después de semanas de preparativos, Carlos, sus amigos y familiares, lo tienen todo listo para ponerse en marcha. Las carretas están adornadas con flores de papel de vivos colores. Los hombres ensillan (5) los caballos y preparan todo lo necesario para el camino: comida, ropa de abrigo, mantas e impermeables (6).

El miércoles de madrugada atravesamos el pueblo ante la mirada de los que se quedan. Los romeros van vestidos especialmente para la ocasión. Los jinetes cabalgan erguidos (7) sobre el caballo; llevan trajes típicos: pantalón ceñido (8) y chaleco corto, botas de montar y sombrero. Las mujeres van vestidas con trajes de volantes (9). Todos se sienten guapos y les gusta posar para mis fotos.

Vamos hacia la desembocadura (10) del río Guadalquivir, en Sanlúcar de Barrameda, adonde llegamos al día siguiente. En el camino, la gente de los pueblos por donde pasamos salen a vernos y a saludarnos.

Cuando entramos en Sanlúcar, el jueves por la tarde, una interminable hilera (11) de carretas espera para cruzar el río. Es un atasco (12) muy particular. Nadie tiene prisa ni se pone nervioso. El cante, el baile, la comida y la bebida hacen más corta la espera. Casi todo el pueblo espera con nosotros para vernos pasar el río.

En el río no hay puente por donde cruzar. Cuando les llega el turno, los romeros suben con gran esfuerzo las carretas en grandes lanchas y en una ellas, impulsados a mano con largos palos, cruzamos el río.

Al llegar a la otra orilla, entramos en un bello bosque de pinos; de vez en cuando vemos jabalíes y ciervos. Ya estamos en el Coto de Doñana, uno de los parajes naturales más importantes de Europa. Muchas aves migratorias, algunas en peligro de extinción, viven en esta reserva. Aquí hay, entre otras aves, águilas, flamencos y garcetas. Por ello, aunque el

Rocío tiene muchos seguidores, también tiene detractores (13), entre ellos los ecologistas.

—"Esto es un atentado (14) contra la Naturaleza", me dice uno de los guardas que trabajan en el Coto. "Las carretas, el ruido, los fuegos y la basura contaminan el ambiente y molestan a los animales. No sé por qué no está prohibido".

Quizá el guarda tenga razón, pero, ¿cómo se puede acabar con una tradición tan antigua, en la que participa tanta gente?

La historia de esta romería se confunde con la leyenda, que dice que un cazador encontró entre unos troncos una imagen de la Virgen. Con mucho esfuerzo logró sacarla de allí y llevársela hacia el pueblo de Almonte. En el camino se quedó dormido y cuando se despertó, la imagen ya no estaba. El cazador volvió al lugar donde la encontró y allí estaba de nuevo la imagen. En ese lugar se construyó la ermita del Rocío y desde entonces ha atraído a millones de peregrinos.

A pesar de las críticas de los ecologistas, los romeros insisten en seguir la tradición. Cada año, miles de personas hacen el camino. Algunos, como el padre de Carlos, no han faltado nunca desde su primera romería. "Vengo todos los años, desde que tenía quince y ahora tengo setenta", dice orgulloso. Y en cada parada canta, baila y come como los más jóvenes.

Nuestra carreta marcha despacio a través del Coto y el paisaje va cambiando. De los bosques pasamos a las marismas (15) y después a las dunas (16), muy cerca del mar. Por la noche, al aire libre, algunos romeros duermen, otros cantan y bailan o charlan alrededor de los fuegos. Mañana viernes llegaremos al Rocío y los romeros prepararán comida para todos.

El sábado por la mañana ya están las noventa hermandades en la aldea, que se llena de gente y de colores. Algunas hermandades tienen hasta dos mil romeros. Este fin de semana hay en la aldea, entre romeros y turistas, cerca de un millón de personas.

Después de una larga noche de fiesta, se prepara todo para la Misa (17) del domingo, al aire libre. Delante de las hermandades van siempre el tamborilero, que es quien toca el tambor (18), y el cohetero, que va disparando los cohetes (19), llenando el aire de polvo y ruido. Durante todo este día, la gente pasea por la aldea o sigue la fiesta en casas particulares, donde hay comida y bebida abundante para todos.

Llega la noche del domingo, sólo quedan unas horas para la madrugada del lunes. Se acerca el momento más emocionante del Rocío. La gente va hacia a la ermita. Allí espero, apretujada por la multitud. Hay mucha tensión en el ambiente y no puedo adivinar por qué.

— "A ver si este año pueden esperar al alba", me dice Carlos.

—"¿Esperar?", le pregunto sin saber de qué habla.

—"Sí, para dar el salto. Los vecinos de Almonte son los encargados de sacar a la Virgen en procesión. Saltan la verja de hierro que la protege y la sacan por los aires a la calle. Según la tradición, deben esperar al alba para hacerlo. Pero, casi siempre lo hacen antes".

— "¿Y por qué?"

— "Ellos dicen que sienten un impulso porque la Virgen los llama".

Estoy pensando en las palabras de mi amigo cuando de repente escucho un alboroto (20) y veo a un joven que se sube por la verja con una agilidad asombrosa. Muchos otros le siguen con rapidez y se lanzan sobre la Virgen. Parecen poseídos por un extraño fervor (21). La gente grita emocionada y le lanza piropos (22) a la Virgen, "¡Guapa, guapa!" Todos quieren tocarla y estar cerca de ella. Los almonteños sacan la imagen fuera y la llevan a todas las casas de las hermandades, donde los romeros la reciben con aplausos, piropos y canciones.

El lunes, tras casi diez horas de procesión, la aldea se queda desierta y la vida en el Coto vuelve a la normalidad. Los romeros regresan agotados a sus casas confiando en que el año que viene, cuando llegue la primavera, volverán a hacer el camino. "Porque mientras el cuerpo aguante (23)", dice el padre de Carlos, no faltaremos a la cita".

GLOSARIO

1.- no caber un alfiler: estar un sitio lleno de gente.

2.- peregrino: persona que hace un viaje, normalmente a pie, a un santuario o lugar santo.

3.- hermandad rociera: grupo de personas devotas a la Virgen del Rocío.

4.- ermita: pequeña iglesia situada a las afueras de un pueblo o ciudad.

5.- ensillar: colocar una silla de montar sobre un caballo.

6.- impermeable: chaqueta de plástico que no deja pasar el agua.

7.- erguido: recto.

8.- pantalón ceñido: pantalón muy estrecho y apretado.

9.- traje de volantes: traje típico del folklore andaluz.

10.- desembocadura: lugar en donde un río se junta con uno más grande o llega al mar.

11.- hilera: conjunto de cosas o personas ordenadas en fila, una detrás de otra.

12.- atasco: exceso de tráfico que impide que se circule con normalidad.

13.- detractor: persona que está en contra de algo.

14.- atentado: acto criminal contra personas o cosas.

15.- marisma: terreno bajo, muy húmedo, situado a orillas del mar o de un río.

16.- duna: pequeñas colinas de arena formadas por la acción del viento en desiertos y playas.

17.- misa: acto religioso de la iglesia católica, que simboliza el sacrificio de Jesucristo.

18.- tambor: instrumento de percusión que se toca con las manos o con palillos.

19.- cohete: cartucho de pólvora que se lanza al aire y explota con mucho ruido y luces de colores.

20.- alboroto: mucho ruido ocasionado cuando varias personas hablan al mismo tiempo.

21.- fervor: entusiasmo ocasionado por una devoción intensa, por lo general religiosa.

22.- piropo: palabras agradables sobre el aspecto físico o el carácter de alguien, que suelen decirse en la calle y en voz alta.

23.- mientras el cuerpo aguante: mientras el cuerpo no se canse y funcione con normalidad.

A VER SI HAS ENTENDIDO

1.- Escribe la palabra adecuada a estas definiciones.

Peregrinación que se hace a un santuario →
Pueblo muy pequeño →
Carro largo, estrecho y bajo con dos ruedas →
El que cabalga →
Congregación piadosa →

2.- Contesta a las preguntas:

¿Cómo están adornadas las carretas?
¿Qué se llevan los romeros para el camino?
¿Cómo van vestidos los jinetes?
¿Cómo van vestidas las mujeres?
¿Qué hacen los romeros mientras esperan cruzar el río?
¿Cómo cruzan el río?
¿Qué es el Coto de Doñana?

3.- ¿Por qué no intentas ordenar la historia de esta romería, según el texto?

☐ El cazador volvió al lugar donde la encontró y allí estaba la imagen.

☐ Con mucho esfuerzo logró sacarla de allí y llevársela al pueblo de Almonte.

☐ Se dice que un cazador encontró entre unos troncos la imagen de la Virgen.

☐ En ese lugar se construyó la ermita del Rocío y desde entonces ha atraído a miñññones de peregrinos.

28

☐ En el camino se quedó dormido y cuando se despertó, la imagen ya no estaba.

4.- Completa las informaciones, según el texto.

- Al llegar a la otra orilla, entramos...
- En el Coto de Doñana viven...
- Aunque el Rocío tiene muchos seguidores, también................
- «Esto es un atentado...»
- Las carretas, el ruido, los fuegos y la basura............................

5.- ¿Verdadero o falso?

	V	F
El camino pasa entre marismas y dunas	☐	☐
Por la noche los romeros nunca duermen	☐	☐
En la aldea se concentran casi un millón de personas	☐	☐
Delante de las hermandades va el tamborilero y el cohetero	☐	☐
La Misa del domingo se celebra en la iglesia	☐	☐
Hay comida y bebida abundante para todos	☐	☐

6.- Relaciona las informaciones, según la historia.

La gente ○ ○ son los encargados de sacar a la Virgen

Ningún año ○ ○ deben esperar al alba

Los vecinos ○ ○ va hacia la ermita

Saltan la verja de hierro ○ ○ dicen que la Virgen los llama

Según la tradición ○ ○ pueden esperar para dar el salto

Los almonteños ○ ○ y la sacan por los aires a la calle

7.- Contesta a estas preguntas:

¿Qué piropos lanzan a la Virgen?
¿Cómo reciben los romeros a la Virgen?
¿Cuántas horas dura la procesión?
¿Qué hacen los romeros cuando todo termina?
¿En qué piensan los romeros respecto al año próximo?